O MUNDO SEGUNDO

FELIPE NETO

DIRETORIA: Jorge Carneiro e Rogério Ventura;
DIREÇÃO EDITORIAL: Daniele Cajueiro;
COORDENAÇÃO EDITORIAL: Eliana Rinaldi;
EDIÇÃO: Lívia Barbosa;
GERÊNCIA DE PRODUÇÃO: Adriana Torres;
CAPA E PROJETO GRÁFICO: Leandro Liporage;
ILUSTRAÇÃO: Luis Di Vasca;
FOTOGRAFIA: Washington Possato;
PRODUÇÃO GRÁFICA: Jorge Silva;
REVISÃO: Maria Flavia dos Reis e Islaine Lemos;
MARKETING: Everson Chaves;

Editora Nova Fronteira Participações S/A
Rua Candelária, 60 – 7º andar – Centro
Rio de Janeiro – RJ – CEP 20091-020
Tel.: (21) 3882-8200

LEIA ESSA PARTE OU TUDO SERÁ EM VÃO!

Oláááá... Eu sou o Felipe Neto e seja bem-vindo para mais um... LIVRO! E, dessa vez, um livro mais do que especial. Na verdade, há muito amor e carinho nas páginas que você agora tem em mãos.

Porém, antes de falar do livro, da história e das razões pelas quais na China todo mundo parece que só fala 3 sílabas, eu quero falar um pouquinho sobre coisas aleatórias e quero que você leia até o final. Eu não sei exatamente onde esse texto vai chegar, mas tenho apenas uma certeza, preciso que você leia. Realmente preciso que você leia!

Agora são 00:26. Aliás, eu nunca sei se o certo é "agora é meia-noite e vinte e seis" ou "agora são meia-noite e vinte e seis" – você também tem essa dúvida? Só um instante, deixa eu conferir...

[ENTRANDO NO GOOGLE, JÁ VOLTO]

Ok, o certo é "agora é meia-noite e vinte e seis". Agora você já sabe e não pode mais dizer que este livro foi inútil. Vamos começar de novo.

Agora é meia-noite e vinte e oito.

Estou sentado na minha poltrona, com o notebook no colo, no meio da madrugada, escrevendo uma "introdução" que já deveria ter sido entregue há uns 10 dias. Por quê? Bem, porque eu ando tão monstruosamente ocupado que tem sido difícil cumprir qualquer coisa no prazo. Outro dia eu percebi que estava abraçando minha mãe e lendo um e-mail importante ao mesmo tempo. A situação tem sido dura, mas por bons motivos.

Escrevo estas páginas mais como um desabafo do que qualquer outra coisa. Acho que, daqui a alguns anos, quero poder ler novamente e lembrar desse momento. E também acredito que, se você está interessado no conteúdo deste livro, então é porque também deve se interessar pela minha vida como um todo. Seu fofoqueiro! Mentira, você é lindo. Ou linda. Ou os dois. Sei lá!

Sabe, é difícil realmente acreditar que eu cheguei ao lugar onde me encontro hoje. Tenho 31 anos (se o Bruno estivesse aqui agora gritaria "VELHO"), mas sinto como se tivesse vivido 80, só que com a cabeça de 18. E acredite, ter dezoito anos é ser incrivelmente pirralho. Muita gente acredita que fazer dezoito anos é algo simbólico, que, de repente, você acorda no seu aniversário e o mundo passa a tratá-lo como adulto, você passa a ter responsabilidades e afazeres, o porteiro passa a te chamar de "senhor". Porém, se você está, neste momento, ansioso para que isso aconteça, eu preciso te dizer: esquece. Fazer dezoito anos é a mesma coisa que fazer quinze, ou doze. A única diferença é que agora você não pode mais matar alguém, senão é preso de verdade.

Ok, por favor, não cometa crimes, não importa sua idade, esse foi apenas um comentário estúpido, do tipo que eu faço o tempo todo e tenho que pedir desculpas e explicar que minha língua age mais rápido do que meu cérebro.

Voltando ao assunto, eu tenho 31 anos e hoje realmente não consigo encontrar nada para reclamar na minha vida. Sabe, se teve uma coisa que a maturidade me trouxe foi poder olhar para os pequenos problemas e defeitos que a vida traz e dizer "caguei pra você", dar de ombros e ir lavar uma louça. Mentira, eu odeio lavar louça, mas o resto é verdade.

Eu lembro quando comecei no YouTube, incríveis NOVE anos atrás. Tem noção do que é isso? Você consegue entender que hoje em dia diversas pessoas que me assistem não eram nascidas quando eu comecei a gravar vídeos para o YouTube? Isso é assustador demais! Faz eu me sentir o Clayson. Mas enfim, nove anos atrás eu era um menino de 22 anos começando a gravar vídeos nos fundos da casa da minha mãe, no Engenho Novo, um bairro do Rio de Janeiro que é tão esquecido que todo mundo pergunta se eu morava no Engenho de Dentro ou Engenho da Rainha, mas nunca no Engenho Novo. Uma vez um seguidor literalmente perguntou como tinha sido minha vida no "Senhor de Engenho".

Se eu pudesse resumir em uma palavra o que foi essa jornada de 9 anos até agora, eu resumiria assim:

MEUDEUSFOIMUITOINSANOCHEIODEALTOSEBAIXOSMASTUDODEUCERTO

Desculpa, eu realmente achei que seria capaz de usar uma palavra só, mas agora já é meia-noite e quarenta e oito e eu falhei.

Quando comecei a gravar vídeos, eu era uma criança. Afinal, homens amadurecem mais devagar. Eu era cheio de verdades, achava que já tinha entendido o mundo, fazia vídeos revoltados, cheios de palavrões e muitos xingamentos. Eu achava que ia consertar as coisas na base do grito e acabava usando isso para revoltar e também tirar risadas. E isso era chamado de "Não Faz Sentido".

Sabe, eu não me arrependo de nada. O "Não Faz Sentido" pode ter sido exagerado, raivoso, mas foi muito importante. Não para os outros, mas pra mim. Foi importante porque fez parte do meu amadurecimento. Atenção, se você estiver de fato lendo essa introdução, aviso que isso aqui é um texto escondido: este livro está repleto de enigmas. Você precisa descobrir o que eles são e onde estão. Ao decifrá-los, você irá encontrar um endereço para colocar na internet e chegar ao tesouro final. E aqui vai uma pista para começar: nem todo desenho é só um desenho. Mas enfim, eu realmente gosto de lembrar do "Não Faz Sentido" com nostalgia e carinho.

Levou bastante tempo para que eu chegasse aqui, no homem e criador de conteúdo que sou hoje. E posso te dizer qual foi a maior lição que tirei de tudo isso e que deixo de ensinamento pra você? É simples!

Se eu pudesse falar hoje com o Felipe Neto de 22 anos, eu diria apenas uma coisa: "Continua, garoto, mas saiba que você ainda não sabe de nada." Mas a lição principal não foi essa, a lição principal foi saber que hoje, aos 31 anos, eu ainda devo seguir exatamente as mesmas palavras: "Continua, garoto, mas saiba que você ainda não sabe de nada." E nunca vou saber. Porque é somente pelo fato de não sabermos as coisas que vivemos diariamente buscando aprender algo novo. Afinal, você já viu alguma pessoa arrogante e presunçosa admitindo que não sabe tudo e afirmando que passará a vida inteira aprendendo mais do que ensinando? Pois é. A graça da vida é aprender e até professores concordam com isso.

Se você gosta do meu canal hoje em dia, sabe que abandonei os palavrões, a raiva e a vontade de mudar as pessoas. Isso tudo deu lugar para a diversão, a risada e eventualmente até a informação de uma coisa nova. Nada me fez mais feliz na carreira do que virar essa página e poder fazer o que faço hoje.

E, bem, agora que estamos chegando ao final deste texto, só o que posso dizer é que o que você tem em mãos são anos de história. São mensagens divertidas e (talvez) engraçadas a respeito de diversas coisas do mundo que fazem ou não fazem sentido pra mim. O objetivo deste livro não é mudar sua cabeça, mas apenas te entreter, te divertir, através de textos curtos e que realmente saíram da minha boca ao longo de quase uma década de canal no YouTube.

Realmente espero arrancar algumas risadas suas com esta obra, que foi feita com incrível carinho! Cada frase, cada linha, cada detalhe foi pensado e planejado por mim e pela equipe incrível da Pixel, com quem tenho uma parceria de longa data. Os desenhos incríveis foram todos criados pelo grande ilustrador e meu amigo pessoal, Luis Di Vasca, cujo talento é de deixar qualquer um com raiva. O cara desenha qualquer coisa. Literalmente qualquer coisa. E foi ele quem escondeu os tesouros.

Divirta-se! E aguarde que ainda tem muita coisa vindo por aí.

Felipe Neto

HÁ QUEM PENSE QUE EU ME ACHO O DONO DA VERDADE, MAS ISSO NÃO PROCEDE. EU SOU, NO MÁXIMO, O DONO DO MEU REQUEIJÃO. ELE É MEU, **PORQUE EU COMPREI.**

REQUEIJÃO CREMOSO
REBULIÇO!
DESDE 2010

ANTES DE CRIAR UM CANAL NO YOUTUBE, EU MORRIA DE MEDO DE GRAVAR, POIS TINHA RECEIO DE VIRAR CHACOTA E TODO MUNDO RIR DA MINHA CARA. ENTÃO EU FUI LÁ, ME ENCHI DE CORAGEM E FIZ UM CANAL! HOJE EU SOU CHACOTA **E TODO MUNDO RI DA MINHA CARA.**

É UMA PENA QUE O SER HUMANO
DÊ TANTA IMPORTÂNCIA PARA A
MATURIDADE DE COMPORTAMENTO, COMO
SE "SER BOBO" FOSSE UM DEMÉRITO
OU SINAL DE FRAQUEZA. MUITOS
DOS MAIORES GÊNIOS ERAM BOBOS E
CRIAVAM JUSTAMENTE POR PERMITIREM
QUE AS CRIANÇAS INTERIORES SE
MANIFESTASSEM. LOGO, SEJA BOBO.
DANE-SE A SERIEDADE!

PRESTE ATENÇÃO NO QUE ESTÁ AO SEU LADO, PORQUE ÀS VEZES ISSO PODE TER MAIS VALOR DO QUE AQUILO QUE VOCÊ... AH, CAGUEI! FIQUEI COM PREGUIÇA NO MEIO DO SERMÃO.

EU PRECISO CONFESSAR UMA COISA PRA VOCÊ: EU MORRO DE MEDO DE PANELA DE PRESSÃO.

* * *

EU QUERIA MUITO SABER QUEM FOI O CARA QUE DESCOBRIU QUE **O MILHO VIRA PIPOCA,** E QUAL FOI A REAÇÃO DELE QUANDO ISSO ACONTECEU.

Eu sou tão viciado em pizza, MAS TÃO VICIADO, QUE AS PESSOAS SE PREOCUPAM COM A MINHA SAÚDE.

EU SOU O TIPO DE CARA QUE NÃO COME A BORDA DA PIZZA. NÃO É QUE EU NÃO GOSTE, EU GOSTO, MAS TEM UM MOTIVO: EU QUERO COMER MAIS PIZZA! A BORDA ENCHE MUITO, É UMA MASSAROCA COMPACTA. ENTÃO, SE EU ESTOU COMENDO UMA PIZZA GOSTOSA E QUERO COMER MAIS, **EU NÃO COMO A BORDA PRA CABER MAIS PIZZA.**

NÃO FAZ SENTIDO ALGUM A PESSOA PEGAR UMA PIZZA PORTUGUESA DELICIOSA, CHEIA DE SABOR, E TACAR KETCHUP! VOU FAZER UM CURSO DE "COMO SER MAIS LEGAL". NÃO BOTE KETCHUP NAS COISAS, NÃO COLOQUE FEIJÃO EMBAIXO DO ARROZ, NÃO COMA CHOCOLATE QUE NEM UM PSICOPATA.

NÃO GOSTAR DE FEIJÃO É UM INDICATIVO DE CARÁTER. VOCÊ PODE NÃO GOSTAR DE MUITA COISA: JILÓ, BRÓCOLIS...

MAS VOCÊ ESCOLHE NÃO GOSTAR DE FEIJÃO?

* * *

NÃO EXISTE NÃO GOSTAR DE SORVETE. É QUE NEM NÃO GOSTAR DE FILHOTE DE CACHORRO.

SE TEM UMA COISA QUE NÃO É COMIDA JAPONESA É HOT PHILADELPHIA. É MUITO COISA DE OCIDENTAL QUERENDO SER ASIÁTICO. ALGUÉM UMA VEZ FEZ UM ROLL E OUTRA PESSOA FALOU: "CARA, ACHO QUE A GALERA NÃO VAI GOSTAR MUITO DESSE ARROZ COM ALGA E SALMÃO, NÃO." E A OUTRA SUGERIU:

"ENTÃO, FRITA!"

CHUCHU COM MOLHO BRANCO É MUITO GOSTOSO, MAS SÓ PORQUE O MOLHO BRANCO É GOSTOSO! O CHUCHU, NA VERDADE, ESTÁ ALI SÓ PARA DAR CONSISTÊNCIA. AFINAL, IMAGINA UMA PESSOA FALANDO:

"EU ALMOCEI SÓ MOLHO BRANCO HOJE!"

NÃO DÁ, NÉ? ENTÃO A GENTE METE UM CHUCHU, QUE É PRA FINGIR QUE É MADURO.

BRIGADEIRO DE COPINHO É UMA INVENÇÃO QUE FOI FEITA PARA ACABAR COM A HUMANIDADE. É IMPOSSÍVEL NEGAR, PORQUE É SÓ UM POUQUINHO, DENTRO DE UM POTINHO... AÍ VOCÊ VAI LÁ E COME UM E DEPOIS COME MAIS 18... E VOCÊ MORRE.

DEIXO AQUI UM PEDIDO PARA TODA MÃE, PAI, AVÔ E AVÓ QUE FAZ MAIONESE EM CASA: NÃO COLOQUE MAÇÃ! POR FAVOR! SABE POR QUÊ? PORQUE PARECE BATATA. VOCÊ VAI MORDER ACHANDO QUE É UMA BATATINHA, AÍ VEM AQUELE "CRECK" DA MAÇÃ, ACOMPANHADO DAQUELE GOSTO DOCE E AZEDO AO MESMO TEMPO...

NÃO COMBINA!

TEM GENTE QUE BOTA UNS NEGÓCIOS ESTRANHOS NO AÇAÍ: LEITE NINHO, DOCE DE LEITE... AÇAÍ PRA MIM É BANANA E GRANOLA, DO JEITO QUE DEUS QUER. PODE PROCURAR, POIS ESTÁ NA BÍBLIA: "NO AÇAÍ BOTARÁS BANANOTA E GRANOLOTA. SÓ!"

POR QUE AS PESSOAS TÊM TANTO NOJO DE CABELO NO PRATO? QUANDO ENCONTRAM FAZEM UM ESCÂNDALO TÃO GRANDE QUE PARECE ATÉ QUE VIRAM UMA BARATA PELA METADE. É SÓ UM CABELO, GENTE! TEM NA CABEÇA DAS PESSOAS. POR QUE QUE NO PRATO É A COISA MAIS NOJENTA DO MUNDO? NINGUÉM TIROU DO RALO E BOTOU NO PRATO, NINGUÉM FOI AO BANHEIRO E FALOU: "DEIXA EU PEGAR ESSE CABELINHO E COLOCAR NA LASANHA QUE VAI FICAR UMA DELÍCIA."

A PESSOA QUE VAI AO MCDONALD'S E PEDE UMA SALADA TEM SEU LUGAR RESERVADO NO INFERNO. É A MESMA COISA QUE VOCÊ IR NA CHURRASCARIA E PEDIR SUSHI.

MOSTRAR DESENHO DE UMA VACA TODA MARCADA PRA MOSTRAR DE ONDE VEM CADA PEDAÇO DA CARNE... EU NÃO ENTENDO O PORQUÊ DISSO. EU NÃO QUERO SABER DE ONDE VEIO A MINHA CARNE. EU NÃO QUERO VER A VACA TODA FATIADA COM TRACEJADO! PRA MIM, A CARNE QUE EU ESTOU COMENDO É SABOROSA E ELA NÃO VEIO DE UM SER VIVO. ELA VEIO DA GELADEIRA. ENTÃO, PAREM DE PERSONIFICAR A VACA!

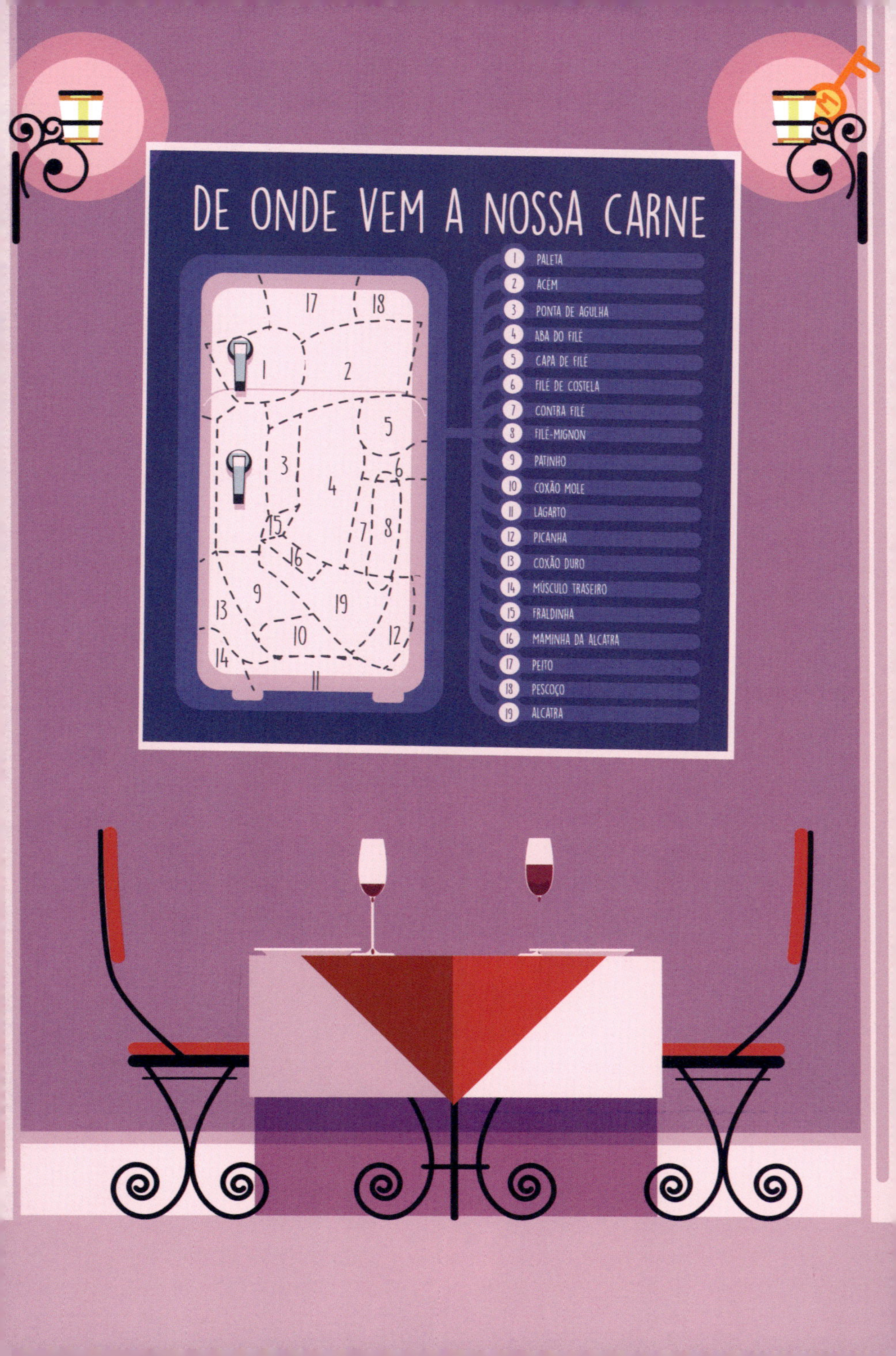
DE ONDE VEM A NOSSA CARNE
1 PALETA
2 ACÉM
3 PONTA DE AGULHA
4 ABA DO FILÉ
5 CAPA DE FILÉ
6 FILÉ DE COSTELA
7 CONTRA FILÉ
8 FILÉ-MIGNON
9 PATINHO
10 COXÃO MOLE
11 LAGARTO
12 PICANHA
13 COXÃO DURO
14 MÚSCULO TRASEIRO
15 FRALDINHA
16 MAMINHA DA ALCATRA
17 PEITO
18 PESCOÇO
19 ALCATRA

SERÁ QUE UMA PESSOA VEGANA SE SENTE OFENDIDA QUANDO É CHAMADA DE VACA? OU SERÁ QUE ELA PENSA: "ADORO BICHO! BICHO É LUZ! BICHO É VIDA! VACAS SÃO INTELIGENTÍSSIMAS E SÃO SAGRADAS NA ÍNDIA." ALIÁS, SERÁ QUE NA ÍNDIA ALGUÉM XINGA OUTRA PESSOA DE VACA? A PESSOA FALA:

"SUA VACAAA!"

E A OUTRA RESPONDE:

"AI, OBRIGADA!"

ESTROGONOFE NÃO SE PEDE EM RESTAURANTE. OU FAZ EM CASA OU NÃO COME, PORQUE TEM QUE SER FEITO COM OS MELHORES INGREDIENTES E PREPARADO COM AMOR. ESTROGONOFE É O TIPO DE COMIDA QUE TEM QUE SER FEITA POR MÃE OU VÓ.

POR QUE GENTE FIT COME COISA QUE É PRA JOGAR FORA? A SEMENTE FOI FEITA PRA "PROCRIAR" AS PLANTAS E NÃO PRA SERVIR DE APERITIVO NO CAFÉ DA MANHÃ.

* * *

NÃO EXISTE GENTE FIT POBRE.
A PESSOA ATÉ PENSA: "VOU SER FITNESS, VOU SER FELIZ!" MAS ESQUECE QUE SÓ É POSSÍVEL SER FITNESS SE FOR RICO, PORQUE UMA BARRINHA FIT DE VERDADE CUSTA 18 REAIS.
DE-ZOI-TO.

EU NÃO AGUENTO MAIS COMER PUDIM. Toda vez que como muito, minhas roupas encolhem. Não aguento mais isso. Alguém conhece roupa que não encolhe?

***

Essa semana eu fui comprar roupas. Não consegui comprar uma calça jeans, porque todas elas pareciam que tinham sido usadas pelo Bruno durante 8 meses, sem lavar. Essa é a nova moda pra calça jeans: parecer que está cagada, de tão suja. Eu não consigo acompanhar a moda. Vocês falam: "Ah, Felipe, você grava os vídeos sempre com as mesmas camisas..." É porque eu não consigo comprar uma nova!

O MUNDO TEM QUE SE ADAPTAR A MIM.
Eu quero que todos tenham essa pancinha ridícula que eu tenho.
VAMOS LÁ, PESSOAL! ACORDEM TARDE E COMAM LASANHA... ASSIM A GENTE SE NIVELA POR BAIXO.

VOCÊ QUE FALA "AH, EU ACORDO 7H DA MANHÃ PRA DAR UMA PEDALADA; ACORDO 6H30 PRA DAR UMA CORRIDA NA PRAIA", O MUNDO INTEIRO ESTÁ JOGANDO ENERGIA NEGATIVA PRA VOCÊ. ESPERO QUE VOCÊ SAIBA DISSO!

O BRADLEY COOPER É TÃO BONITO QUE ELE ME OFENDE! NÃO É JUSTO QUE NÓS, HOMENS, TENHAMOS QUE CONVIVER EM UM MUNDO ONDE EXISTE O BRADLEY COOPER.

QUANDO A PESSOA É FEIA E VOCÊ NÃO QUER FALAR ISSO, VOCÊ DIZ QUE ELA É EXÓTICA. SABE QUAL O OUTRO NOME PARA BELEZA EXÓTICA?
AQUELA QUE NÃO EXISTE.

* * *

O QUE MAIS TEM NO MUNDO É GENTE FEIA.
A BELEZA ESTÁ NOS OLHOS DE QUEM VÊ.
TALVEZ VOCÊ SÓ PRECISE ACHAR ALGUÉM QUE TENHA PROBLEMA DE VISÃO.

A GENTE TEM PRECONCEITO COM CRIMINOSOS. TODA VEZ QUE A GENTE VÊ UM CRIMINOSO BONITO, A PRIMEIRA COISA QUE A GENTE FALA É: "PÔ, E ELE ERA BONITO, NÉ?" COMO SE GENTE BONITA FOSSE INCAPAZ DE COMETER CRIME.

DESVIO DE SEPTO NASAL É A MAIOR
DESCULPA PARA FAZER RINOPLASTIA.
A PESSOA FALA "VOU OPERAR
DESVIO DE SEPTO..."
**E VOLTA COM
OUTRO NARIZ.**

O GÊNIO DO ALADDIN PODERIA TER A APARÊNCIA QUE QUISESSE... E ELE ESCOLHEU SER AZUL, GORDO E CARECA. ISSO É PRA GENTE REFLETIR A IMPORTÂNCIA QUE DAMOS AO CABELO, FORMA FÍSICA E COR DA PELE. O GÊNIO JÁ ERA LACRADOR EM 1812.

SE VOCÊ É UM TERRAPLANISTA, SAIBA QUE AS PESSOAS DA IDADE MÉDIA JÁ ERAM MAIS INTELIGENTES QUE VOCÊ. O MENDIGO QUE FOI AJUDADO POR JESUS CRISTO, NO ANO 0, **JÁ SABIA QUE A TERRA ERA ESFÉRICA.**

01101000 01110100 01110100 01110000 00111010 00101111 00101111 01100110 01101110 01110011 01100101
01100111 01110010 01100101 01100100 01101111 01101100 01101001 01110110 01110010 01101111 00110001
00110010 00110011 00101110 01100011 01101111 01101101 00101110 01100010 01110010

TODO MUNDO ESPREME A PASTA DE DENTE ATÉ O FINAL. VOCÊ PODE TER O REAIS NA CONTA OU SER O CARA MAIS RICO DO MUNDO. COM CERTEZA, O BILL GATES TEM LÁ NA PIA DO BANHEIRO DELE UMA COLGATE TODA ESPREMIDA. SABE POR QUÊ? PORQUE TODO MUNDO ESQUECE DE COMPRAR. A VIDA É ASSIM.

SE TEM UMA COISA
EM QUE SE ECONOMIZA
DINHEIRO É EM PINTURA
DE MURO DE CRECHE. PODE
PROCURAR. DIFICILMENTE,
UMA CRECHE TERÁ O
MURO BEM PINTADO,
POIS SEMPRE INVENTAM
DE CHAMAR UM PRIMO
OU CONHECIDO E PEDEM
PRA FAZER UMAS ARTES
"MANEIRAS".

EU QUERIA JOGAR GOLFE... MAS **só pra parecer rico.** NÃO É NEM PELO PRAZER DE JOGAR, É SÓ PRA EU ME SENTIR IMPORTANTE. ESCOLHER O MELHOR TACO, PEGAR, IR PRA POSIÇÃO E FICAR PARECENDO UM BOBÃO, COM MEIA NO MEIO DA CANELA E UM SUÉTER AMARRADO NO PESCOÇO... UM DIA EU AINDA VOU FAZER ISSO.

***

A RIQUEZA É INTERIOR, NÃO É EXTERIOR. POR FORA NÓS ENCONTRAMOS PRAZERES, MAS POR DENTRO A GENTE SENTE A ALEGRIA DE ESTAR VIVO... MAS, PRA ISSO, VOCÊ PRECISA ESTAR INSCRITO NO CANAL. SEM SUA INSCRIÇÃO, VOCÊ NÃO VAI TER A ALEGRIA DE ESTAR VIVO.

Não li e aceitei os
termos do contrato:
esse é o resumo da
internet! E é por
isso que o Facebook
agora sabe qual é a
calcinha que você
tá usando.

***

O ser humano
deveria fazer exame
psicotécnico pra ter
acesso à internet.

NA MINHA ÉPOCA DE ADOLESCENTE AINDA NÃO TINHA SMARTPHONE. SÓ TINHA AQUELES CELULARES DA MOTOROLA QUE NÃO TINHAM CÂMERA E, QUANDO TINHAM, ERA DE 0,2 MEGAPIXELS. VOCÊ TIRAVA UMA FOTO E A CÂMERA TE PEDIA DESCULPA.

EU FICO PREOCUPADO COM MEUS NETOS, PORQUE ELES VÃO VER O PASSADO DO AVÔ DELES E VÃO SENTIR VERGONHA. EU NÃO SENTI VERGONHA DOS MEUS AVÓS, PORQUE NÃO TIVE MATERIAL PRA ISSO. MEU AVÔ NUNCA ABRIU O CELULAR, DEU PLAY NUM VÍDEO E FALOU: "AÊ, SE LIGA NESSE DIA QUE BOTARAM VODKA NA MINHA BOCA E CHACOALHARAM MINHA CABEÇA!"

A SOCIEDADE SE DIVIDE EM DOIS GRUPOS: O GRUPO DOS PLAYBOYS QUE GANHAM UM CARRO QUANDO FAZEM 18 ANOS E O GRUPO DOS QUE OLHAM ISSO E FALAM: "O QUE ELE FEZ PARA MERECER ESSE CARRO?"

FICO VENDO ESSE PESSOAL... UM DIA NO LOLLAPALOOZA, DIAS DEPOIS NO COACHELLA, DIAS DEPOIS NO ROCK IN RIO, DIAS DEPOIS NO BURNING MAN. E, ENTRE OS FESTIVAIS, SEMPRE NUMA BALADINHA PRA RELAXAR.

EU JÁ FICO EXAUSTO SÓ DE BATER PERNA MEIA HORA NO SHOPPING!

A GRAVIDEZ É UM NEGÓCIO MARAVILHOSO! É A COISA MAIS LINDA DA VIDA, A MAIS INCRÍVEL QUE UM SER HUMANO PODE FAZER, E, PRINCIPALMENTE, BOMBA QUALQUER INSTAGRAM QUE ESTIVER FLOPADO.

É MELHOR LÊ DO QUE NÃO LÊ, ENTÃO LÊ.

TEM CRIANÇA QUE VOCÊ OLHA E FALA: "GENTE, QUE CRIANÇA MARAVILHOSA, LINDA, EDUCADA!" MAS TEM OUTRAS QUE TE FAZEM PENSAR: "MEU DEUS! QUE VONTADE DE ASSAR ESSA CRIANÇA E SERVIR COM BATATA!" MAS NÃO FAÇAM ISSO,

POR FAVOR.

NÃO ASSEM CRIANÇAS!

QUEM JÁ ANDOU DE AVIÃO COM CRIANÇA SABE O QUE É. AVIÃO TINHA QUE SER QUE NEM MONTANHA-RUSSA: TINHA QUE TER AQUELA BARRINHA COM ALTURA MÍNIMA PRA CRIANÇA ENTRAR, SENÃO VOCÊ FICA ONDE ESTÁ. "AH, MAS O MEU FILHO TEM QUE IR COMIGO PRA DISNEY!" - VAI NADANDO.

EXISTEM ALGUNS BRINQUEDOS QUE SÃO DEMONÍACOS PRA CRIANÇA, TIPO O MEU SPRAY DE CABELO, QUE DEVE SER O TERROR PRA VÁRIOS PAIS: "NÃO ACREDITO QUE ESSE IDIOTA LANÇOU UM SPRAY DE CABELO, PORQUE MEU FILHO AGORA QUER ESSE TROÇO E VAI PINTAR A CASA INTEIRA, VAI CAGAR MEU SOFÁ..." GENTE, A CULPA NÃO É MINHA. QUER DIZER, CLARO QUE É MINHA. MAS, POR FAVOR, NÃO FIQUE BRAVO COMIGO.

QUANDO EU ERA CRIANÇA E FICAVA VESGO, MINHA MÃE FALAVA: "SE UM ANJO PASSAR E DISSER AMÉM, VOCÊ VAI FICAR VESGO PRA SEMPRE!" E EU PENSAVA: QUE ANJO DESGRAÇADO É ESSE, QUE FICA ESPERANDO AS PESSOAS FICAREM VESGAS PARA FALAR: "AMÉM!

HÁÁÁ! TROUXA!"?

Se a tua mãe fala "na volta a gente compra", não tem nada que você possa fazer, porque ela já te enganou.

A MAIOR MENTIRA DE TODAS AS MÃES É O "CALMA, NÃO VAI DOER". SE A TUA MÃE FALOU QUE NÃO VAI DOER, É PORQUE VAI DOER. POR QUE DIABOS ELA FALARIA QUE ALGO NÃO VAI DOER? NUNCA, NA VIDA, VOCÊ VAI TOMAR UM SUCO E ELA FALA: **"CALMA, NÃO VAI DOER!"**

ALEMANHA
BRASIL
PORTUGAL
NIGÉRIA
ISLÂNDIA

PARECE QUE EXISTE UMA GRANDE CONFERÊNCIA MUNDIAL DAS MÃES ONDE ELAS DEFINEM TUDO QUE VÃO FALAR E REPETIR. PORQUE A MÃE FALA AQUI E FALA LÁ NA ISLÂNDIA A MESMA COISA, SÓ QUE FALA EM ISLANIANO.

ATÉ OS MEUS 14 ANOS EU MORRIA DE MEDO DO ESCURO. QUANDO FICAVA COM VONTADE DE FAZER XIXI À NOITE, EU IA CORRENDO DE OLHOS FECHADOS E SÓ ABRIA DEPOIS QUE ACENDIA A LUZ DO BANHEIRO E FECHAVA A PORTA. AFINAL, O MONSTRO NÃO INVADE O BANHEIRO.

Todo filho passa por essa situação: você vai com a sua mãe no supermercado pra ajudar e dar aquela força... Então as compras acabam e vocês vão pra fila do caixa. Nesse momento, sua mãe fala: "Filho, fica aqui rapidinho que eu vou só pegar um negócio que eu esqueci!" — E ali começam os minutos mais aterrorizantes da vida de qualquer filho. "Annabelle" é fichinha perto de ficar sozinho na porcaria da fila do supermercado. A mãe sempre diz que vai só pegar um negocinho que esqueceu, mas assim que ela sai da fila, todas as lembranças de coisas que ela precisava comprar surgem ao mesmo tempo. Ela vai lá e pega o que precisava, mas aí ela lembra que também precisava de frios, então entra na fila dos frios... Só que a fila dos frios está maior do que a fila do caixa, e você começa a suar frio, que nem os frios... Quando ela, finalmente, sai da fila dos frios, encontra a Marinalva, que começa a conversar com ela e você continua lá, sozinho, passando sufoco. Até que chega a sua vez de passar no caixa e você está tremendo dos pés à cabeça.

Pais, não façam isso com seus filhos. Nós sofremos!

QUANDO VOCÊ CRESCE EM FAMÍLIA, COM PAI, MÃE, IRMÃOS, AVÓS ETC., É NORMAL QUE, EM ALGUM MOMENTO DA SUA VIDA, VOCÊ VÁ ABRIR A PORTA DO BANHEIRO E ENCONTRAR ALGUÉM FAZENDO COCÔ. EU NÃO SEI POR QUE ISSO ACONTECE, POIS EXISTE UMA COISA CHAMADA TRANCA. SÓ QUE, QUANDO VOCÊ MORA EM FAMÍLIA, PARECE QUE AS PESSOAS GOSTAM DE CAGAR SEM TRANCAR A PORTA.

***

ALIÁS, SE VOCÊ FAZ COCÔ NA FRENTE DE QUALQUER OUTRO SER HUMANO, MESMO SENDO ESPOSA, MARIDO, FILHO, VOCÊ TÁ VIVENDO ERRADO. COCOZINHO É UM MOMENTO INDIVIDUAL! NÃO É UM MOMENTO COLETIVO.

TAMPA DE PRIVADA MARROM

TINHA QUE DAR CADEIA. EU NÃO CONSIGO IMAGINAR NADA MAIS FEIO DO QUE UMA TAMPA DE PRIVADA MARROM. COMO É QUE ALGUÉM OLHA ISSO E FALA: "NOSSA, VAI FICAR TÃO LINDA NO MEU BANHEIRO ESSA TAMPA DE PRIVADA MARROM!"?

EU ADORO AQUELAS FAMÍLIAS ONDE OS FILHOS TÊM NOMES TIPO "PEDRO, JAQUELINE, JÉSSICA E DIJENNYFFER". VOCÊ PENSA "CARA, O QUE QUE ACONTECEU COM A DIJENNYFFER? POR QUE OS PAIS VINHAM NUM CAMINHO LEGAL E DESANDARAM?"

QUEM BOTA O NOME DO FILHO DE "**RERYNK**" OU É RICO OU É POBRE, NUNCA É CLASSE MÉDIA. A CLASSE MÉDIA TEM UM LIMITE. ELA VAI DO ENZO ATÉ O GABRIEL. **RERYNK** NUNCA SERÁ DE UMA FAMÍLIA CLASSE MÉDIA. ELE COM CERTEZA TEM POUCO OU MUITO DINHEIRO.

Quando você nasce nas férias, ninguém vai no seu aniversário. Está todo mundo viajando e ninguém liga para a sua existência. Eu ficava muito triste quando era criança e hoje eu odeio aniversário.

***

Eu sou a pior pessoa do planeta pra lembrar aniversários. Esses dias um amigo meu ficou chateado, porque eu não dei parabéns pra ele. Ele veio me cobrar magoado: "Valeu por me mandar parabéns!" E eu respondi: "Você me lembrou de te dar parabéns, por acaso?"

TÔ INDO!

NENHUM JOVEM, NO SÉCULO XXI, QUANDO O PAI OU A MÃE CHAMAM PRA COMER, VAI NA HORA. NENHUM. ELE SEMPRE RESPONDE "TÔ INDO!". SEMPRE. SE TEM DUAS PALAVRAS QUE TODO PAI E MÃE ODEIAM, ODEIAM DEMAIS, ODEIAM COM TODA FORÇA DO MUNDO, SÃO:

"TÔ INDO!"

IRMÃO É AQUELA
PESSOA QUE VOCÊ
CONSEGUE AMAR
COM TODAS AS SUAS
FORÇAS E ODIAR
COM TODAS AS
SUAS FORÇAS COM
UM INTERVALO DE 5
SEGUNDOS ENTRE UMA
COISA E OUTRA.

QUANDO VOCÊ É O IRMÃO MAIS VELHO E PEGA ALGUMA COISA DO SEU IRMÃO MAIS NOVO, NÃO É CONSIDERADO ROUBO. PORQUE COMO **ELE É MAIS NOVO QUE VOCÊ, VOCÊ É DONO DE TUDO QUE É DELE.**

A GENTE NÃO FALA PALAVRÃO POR ACASO. OS ADULTOS FALAM PALAVRÃO PORQUE É IMPORTANTE PARA ALIVIAR ESTRESSE, ANSIEDADE, E PRA COLOCAR PRA FORA SENTIMENTOS E EMOÇÕES QUE UM "CARAMBA!" NÃO É CAPAZ DE EXPRESSAR.

PRA VOCÊ QUE É MENOR E NÃO VÊ A HORA DE FAZER 18 ANOS PARA SE TORNAR UM ADULTO, TENHO UMA TRISTE NOTÍCIA: ISSO NÃO ACONTECE! VOCÊ NÃO FAZ ANIVERSÁRIO E NO OUTRO DIA TÁ PAGANDO IPTU. VOCÊ VAI CONTINUAR SENDO UM PIRRALHO.

A PUBERDADE É UMA ÉPOCA DIFÍCIL. ENTRE OS 13 E 16 ANOS, SE VOCÊ É MENINO, COMEÇA A TER TESTOSTERONA, A SUBIR PELAS PAREDES E PENSA: "O MUNDO NÃO É JUSTO, PORQUE ELE ME DÁ O DESEJO, **MAS NÃO ME DÁ ALGUÉM!"**

EU ACHO BONITO DOIS ADOLESCENTES APAIXONADOS, DECLARANDO QUE SEU AMOR SERÁ ETERNO. SEMPRE TEM UNS VELHOS AMARGURADOS PRA DEBOCHAR. DEIXA OS JOVENS ACREDITAREM NO AMOR ETERNO DESDE CEDO. SE ISSO MORRER, NÃO VAI TER MAIS LIVRO DO JOHN GREEN.

O PIOR TIPO DE SPOILER QUE EXISTE É O SPOILER DO CORNO. PORQUE O CORNO SÓ É CORNO QUANDO ELE SABE QUE É CORNO. ANTES DELE SABER, ELE NÃO É CORNO. SE DURANTE A SUA VIDA VOCÊ NUNCA SOUBER QUE FOI CORNO, VOCÊ NÃO FOI CORNO.

1 ROUPA SUJA
2 CESTO DE ROUPA SUJA
3 MAGIA!
4 ROUPA LIMPINHA, MACIA E DOBRADA NA GAVETA!

MORAR SOZINHO PELA PRIMEIRA VEZ NÃO É FÁCIL. É ASSUSTADOR DESCOBRIR QUE SUA ROUPA NÃO SAI MILAGROSAMENTE DO CESTO DE ROUPA SUJA E APARECE LIMPINHA, PASSADA E DOBRADA NA SUA GAVETA.

A única razão pra gente passar roupa é que algum desgraçado, algum idiota, definiu que roupa não podia ser amassada, porque era feio. E todo mundo concordou! Se a gente definir que roupa amassada é que é bonito, a gente vai economizar tanto tempo, tanta energia... Vai ser impacto no meio ambiente, na conta de luz, no seu tempo, na sua comodidade, sua vida... Tudo vai melhorar se a gente parar com esse negócio de passar roupa e todo mundo sair empelotado na rua!

HOMEM JÁ NASCE COM DEFEITO. VOCÊ NUNCA VAI VER UMA MENINA DE DOIS ANINHOS FAZENDO XIXI NUM CANTO QUALQUER E RINDO, MAS UM MENINO VOCÊ VAI VER. PORQUE O MENINO, QUANDO É PEQUENO, NÃO OLHA PRO PINTO E VÊ UM MEMBRO. ELE VÊ UMA OPORTUNIDADE!

EU VOU ENSINAR PRA VOCÊS, MULHERES, UMA TÉCNICA QUE TODO HOMEM USA PRA PARECER MAIS SEXY. TODA VEZ QUE VOCÊ CONHECER UM CARA NO TINDER, OU ALGO DO TIPO, E VOCÊS COMEÇAREM A TROCAR MENSAGEM, VOCÊ PODE REPARAR QUE A VOZ DO CARA NOS ÁUDIOS ESTARÁ UM POUQUINHO MAIS ROUCA. TODOS OS HOMENS FAZEM ISSO E EU EXPLICO QUAL É A TÉCNICA: BOTAR A CABEÇA PRA TRÁS. A VOZ FICA MUITO MAIS SEXY. E SABE O QUE É PIOR NISSO TUDO? FUNCIONA!

ginger
CLÓVIS, 23
AUXILIAR DE ESCRITÓRIO

TODA MULHER LAVA A PRÓPRIA CALCINHA. POR QUE DIABOS O HOMEM NÃO LAVA A PRÓPRIA CUECA? A MENINA, QUANDO CHEGA NUMA CERTA IDADE, NÃO DEIXA MAIS A MAMÃE LAVAR A CALCINHA. ELA COMEÇA A LAVAR NO CHUVEIRO. O HOMEM NÃO! COLOCA AQUELAS CUECAS PODRES PRA MÃE LAVAR! DEVE SER HORRÍVEL TER FILHO MENINO. POR QUE A GENTE NÃO ENSINA OS GAROTOS A LAVAREM A PRÓPRIA CUECA NO BANHO?

Existe uma lei pro uso de cueca: tem que ser boxer. Se você usa aquela cuequinha cavada na virilha, por favor, pare. Agora! A sua esposa deve estar morrendo pra te falar isso, mas ela tem vergonha. Então, eu estou aqui, cumprindo esse papel. Ela odeia a sua cueca cavada na virilha. ODEIA! Toda vez que ela te vê com essa cueca cavada ela quer ir embora, ela quer te largar. Esse é o grau de repúdio que essa cueca causa. Acredite!

DURANTE O BANHO, NENHUM HOMEM PASSA SABÃO NA BARRIGA E NA COXAS. OS HOMENS SÓ ENSABOAM OS BRAÇOS, AS PARTES ÍNTIMAS, AS AXILAS E PRONTO! O RESTO NÃO PRECISA, PORQUE O SABÃO JÁ VAI... AS PARTES CRÍTICAS VOCÊ DÁ UMA ESFREGADA COM VEEMÊNCIA, **MAS O RESTO TÁ TRANQUILO.**

SE TEM UMA COISA QUE ME IRRITA É HOMEM QUE FALA: "EU SOU UM HOMEM BOM, MAS ELA SÓ QUER SABER DE VAGABUNDO E TRASTE." QUEM DISSE QUE VOCÊ É BOM? ELAS NÃO TE QUEREM PORQUE VOCÊ É DESINTERESSANTE. SÓ ISSO!

TEM QUE TER LEI PRA GALERA USAR CINTO DE SEGURANÇA, CAMPANHA QUASE IMPLORANDO PRA USAREM CAMISINHA, ANÚNCIOS E MAIS ANÚNCIOS PEDINDO PARA VACINAREM AS CRIANÇAS. E AINDA ACHAM QUE O SER HUMANO É MEGAEVOLUÍDO.

SE VOCÊ OLHAR PARA O PASSADO E PERCEBER QUE VOCÊ É A MESMA PESSOA DE CINCO ANOS ATRÁS, VOCÊ ESTÁ VIVENDO ERRADO, AMIGO.

SE SACRIFÍCIO
FOSSE FÁCIL, NÃO
SERIA SACRIFÍCIO,
SERIA SACRIFÁCIL.

QUE PESSOA É VOCÊ: **"KKKK"** OU **"HAHAHA"**? TEM TAMBÉM AS PESSOAS QUE SÃO **"POSPLKSOPKSPISL"**. ESSAS EU NÃO RESPONDO. **"KKKK"** PRA MIM É O LIMITE. O **"KKKK"** SOA FALSO E É PREGUIÇOSO, É A PESSOA QUERENDO RIR COM UMA MÃO SÓ. EU SOU O **"HAHAHA"**, MAS, ÀS VEZES, EU MANDO **"HUAHUAHUA"** TAMBÉM. BOTO UNS "US" PULVERIZADOS, QUANDO EU ESTOU DE BOM HUMOR.

AHUAHU
HUAHUAH
HUAHUAHUA

Toda mãe tem alguma peculiaridade no WhatsApp. A minha, por exemplo, só se comunica por áudio. Ela gosta tanto, que envia áudio falando apenas "OK".

***

Áudio de WhatsApp é uma coisa que pode ser muito boa ou muito ruim. Depende de quão longo é. Se tem uma coisa que me incomoda é a pessoa que não entende que existe a função "soltar o botão". Se você quer mandar um áudio de cinco minutos, será que poderia ter a decência de soltar o botão a cada minuto? Porque daí a pessoa vai ouvindo enquanto você está falando. Para de ser inconveniente!

EU TENHO DIFICULDADE COM ALGUMAS PALAVRAS NO PORTUGUÊS. **"PADRASTO"**, POR EXEMPLO, NÃO FAZ SENTIDO. ESSA PALAVRA TINHA QUE SER **"PRADRASTRO"**, OU "PADRASTRO". NÃO FAZ SENTIDO "PADRASTO". É ERRADO. OUTRA PALAVRA ERRADA: "CABELEIREIRO". PORQUE VOCÊ ESCREVE E FICA: "NÃO, É CABELELERO...? CABELELE... CABEILEI...?" SEMPRE BATE A DÚVIDA.

UMA EXPRESSÃO QUE TODO MUNDO FALA É "IDEIA DE GIRICO". MAS, AFINAL, O QUE É GIRICO, MEU DEUS?

DE ONDE SURGIU A EXPRESSÃO

"leva na esportiva"?

PORQUE SE TEM UM LUGAR ONDE NINGUÉM LEVA AS COISAS NA ESPORTIVA É NO ESPORTE.

EU NÃO SOU UM ADEPTO DA MOTO. EU TENHO UMA REGRA: SE EU LARGO O VEÍCULO E ELE NÃO FICA EM PÉ SOZINHO, EU NÃO ANDO NELE.

O2
N2
N2
N2
N2
N2

O AR QUE A GENTE RESPIRA SÓ TEM 20% DE OXIGÊNIO. EU NÃO ENTENDO POR QUE O OXIGÊNIO GANHOU TODA ESSA IMPORTÂNCIA. POR QUE A GENTE NÃO ENGRANDECE O NITROGÊNIO?

POR QUE SERÁ QUE A GENTE TEM
ESSA CURIOSIDADE DE SABER
COMO AS PESSOAS MORRERAM?
SEMPRE QUE VEJO UMA NOTÍCIA
DE QUE ALGUÉM MORREU, CLICO
IMEDIATAMENTE PARA SABER COMO.

OS CARAS QUE INVENTARAM O AVIÃO NÃO DEVIAM TER MÃE. IMAGINA SÓ: "ESTÁ NA HORA DE TESTAR. VOU ENTRAR!" DAÍ ENTRAVAM NO NEGÓCIO E SAÍAM TENTANDO VOAR. SE A MINHA MÃE ME VISSE TENTANDO INVENTAR UM CARRO VOADOR ELA IA ME MATAR.

A PESSOA QUE INVENTOU O GLITTER TINHA QUE TER COMO PUNIÇÃO SER OBRIGADA A VIVER NUMA CASA ENTUPIDA DE GLITTER POR TODOS OS LADOS, ATÉ O FIM DA VIDA.

EU GOSTO DE CARNAVAL. QUANDO EU TÔ DENTRO DE CASA VENDO SÉRIE.

Eu não ligo muito pra Réveillon. Mas sabe o que é pior do que a pessoa que não se importa com o Réveillon? É a pessoa que se importa, mas não tem festa pra ir. Aí ela se arruma toda, da cabeça aos pés, e quando dá meia-noite tá sentada na sala, com a taça de champanhe e a avó do lado.

SE EXISTE ALGO PIOR PARA UM VIZINHO DO QUE MÚSICA ALTA, É MÚSICA ALTA QUANDO É KARAOKÊ. PORQUE QUANDO A MÚSICA ESTÁ ALTA, MAS É DE QUALIDADE, PELO MENOS VOCÊ ESCUTA E TOLERA. MAS QUANDO É UMA TIA CANTANDO, VOCÊ QUER MORRER.

SÓ RECLAMA
DE SERTANEJO
QUEM NUNCA
CONVIVEU COM
CRIANÇA PEQUENA
E TEVE QUE OUVIR
BABY SHARK
TURURUTGURURH,
BABY SHARK
URUIEURUURH.

EU PERGUNTAVA
TU E O
HOLANDÊS

TROPEÇAR É CONSTRANGEDOR, SIM, MAS VOCÊ JÁ CANTOU ALTO UM PEDAÇO ERRADO DA MÚSICA PERTO DE ALGUÉM?

TEM UM TRECHO DA MÚSICA "TREM BALA" QUE É MUITO BOM PRA CANTAR COM VOZ DE BEBÊ:

"A GENTE NÃO PODE TER TUDO, QUAL XERIA A GRAXA DO MUNDO XE FOXE AXIM"

EU SOU MUITO SUPERSTICIOSO COM FUTEBOL. MAS SÓ COM O FUTEBOL. TIPO, SE EU OLHAR A TABELA DO CAMPEONATO EM DIA DE JOGO DO BOTAFOGO, O BOTAFOGO PERDE. ISSO FOI COMPROVADO PELA NASA.

VOCÊ ACORDA MUITO CEDO SEM QUERER.
CÉREBRO: "NUNCA MAIS EU VOU DORMIR!"
VOCÊ TENTA VOLTAR A PEGAR NO SONO.
CÉREBRO: "TUNTS, TUNTS, TUNTS. BORA ACORDAR! BORA VIVER!"
VOCÊ DESISTE, LEVANTA, TOMA BANHO, SAI DE CASA.

CÉREBRO:
"AI, QUE SONINHO..."

05:01
05:01
A

PENSA: SE VOCÊ TEM QUE DORMIR OITO HORAS POR DIA, UM TERÇO DA SUA VIDA VOCÊ PASSA DORMINDO. SE VOCÊ VIVE 60 ANOS, VOCÊ VIVEU VINTE ANOS DORMINDO. ISSO NÃO TEM O MENOR CABIMENTO.

TEM ALGUM ESTUDO QUE EXPLIQUE POR QUE TODA SALIVA FEDE? SE VOCÊ BEIJA ALGUÉM E A PESSOA ESTÁ COM BOM HÁLITO, VOCÊ NÃO SENTE NADA. AGORA, EXPERIMENTA PEDIR PARA ELA LAMBER O SEU BRAÇO E CHEIRA, LOGO EM SEGUIDA...

O CACHORRO PINSCHER É A ENCARNAÇÃO DO DEMÔNIO. EU TENHO MAIS MEDO DESSE BICHO DO QUE DE CACHORRO GRANDE. QUANDO ELE VÊ UM SER HUMANO QUE NÃO É DA FAMÍLIA, IMEDIATAMENTE ATIVA O MODO PILHA-ENERGIA-MÁXIMA E NUNCA MAIS PARA DE LATIR. ELE FICA LATINDO EM ALTA INTENSIDADE DURANTE TRÊS HORAS E MEIA, SE FOR NECESSÁRIO. NÃO ACABA O PULMÃO DESSE BICHO.

TEM ALGUMA COISA MELHOR QUE A SENSAÇÃO DE UM PÉ SECO? PARE SÓ PRA ANALISAR: O SEU PÉ ESTÁ SEQUINHO, NÃO É MESMO? AGORA PENSE QUE VOCÊ PODIA ESTAR COM UMA MEIA ENCHARCADA, PODIA ESTAR NA RUA DEPOIS DE TER PISADO EM UMA POÇA, PODIA ESTAR CHEIO DE AREIA ENTRE OS DEDOS DO PÉ. MAS NÃO, SEU PÉ ESTÁ SEQUINHO E LIMPINHO. OLHA QUE SENSAÇÃO GOSTOSA!

AINDA NÃO CONSEGUI DESCOBRIR SE EU SOU UM VIADO MUITO HÉTERO OU UM HÉTERO MUITO VIADO.

TODA TATUAGEM DÓI. TODO MUNDO QUE VOCÊ ENCONTRAR QUE TENHA ESSE PAPINHO DE "AI, EU NÃO SINTO DOR NENHUMA, ATÉ DORMI FAZENDO TATUAGEM", ESTÁ MENTINDO. NÃO CONFIE NESSA PESSOA, POIS ELA TEM ALGUM TIPO DE DISTÚRBIO, ALGUM DESVIO, ALGUM PROBLEMA. TOME CUIDADO COM GENTE QUE NÃO SENTE DOR EM TATUAGEM, CUIDADO!

A NUVEM NA FRENTE DO ECLIPSE SERVE PRA TE LEMBRAR DE QUE, MESMO QUANDO VOCÊ QUER VER ALGO LINDO, VOCÊ AINDA PODE SE FERRAR.

1
2
3
4
5

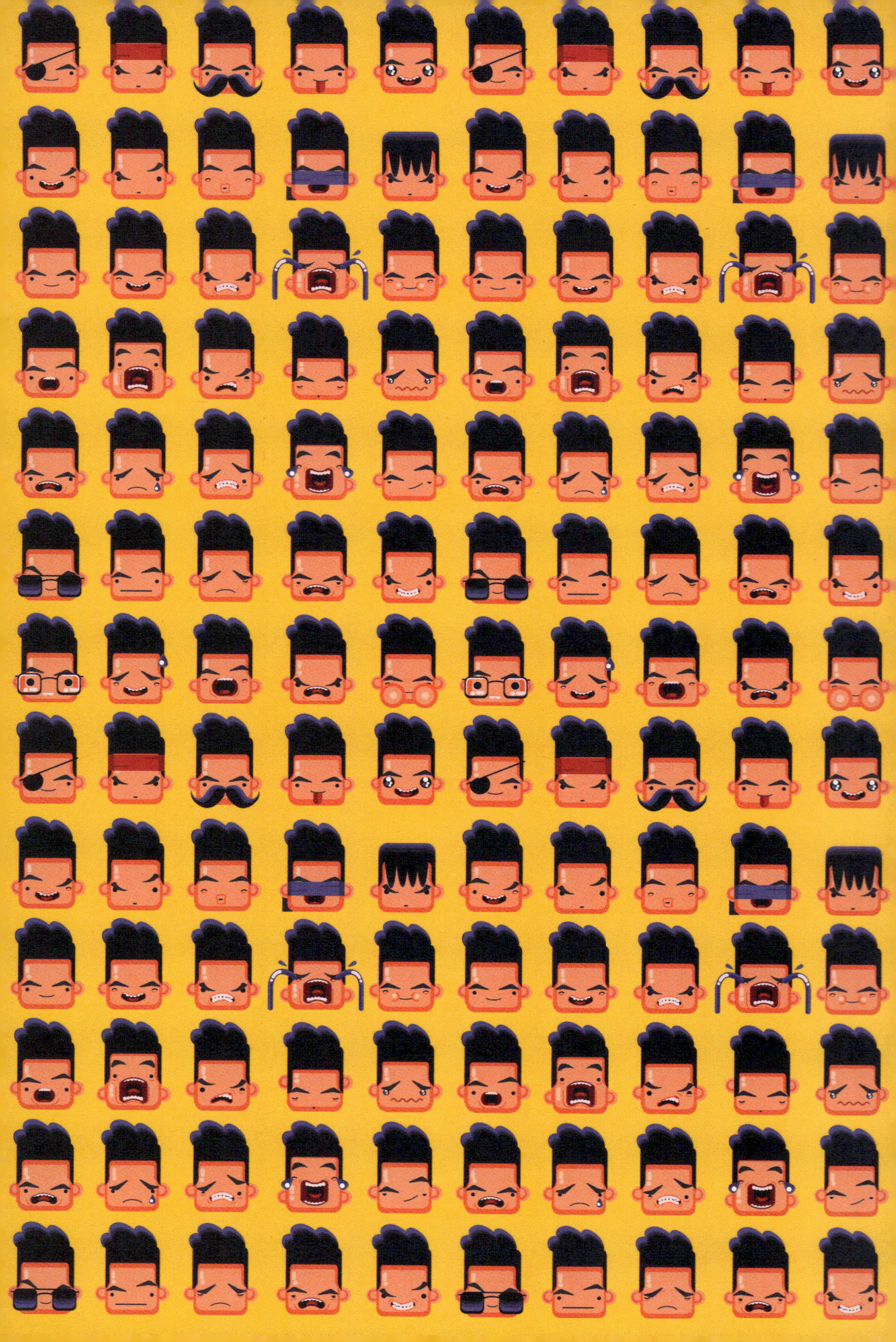